# Arth Bach Drw

Mae'r llyfr

DREF WEN

hwn yn perthyn i:

____________________

____________________

____________________

____________________

# Arth Bach Drwg

John Richardson

Trosiad gan Emily Huws

DREF WEN

"Nos da," meddai Mam.
"Nos da," meddai Dad.
Ond aeth Arth ddim i gysgu.

Bu'n chwarae efo'i filwyr ac yn darllen llyfr. Yna sleifiodd i ben y grisiau ar flaenau'i draed a gwrando ar sŵn y teledu.

Cyn bo hir teimlai'n sychedig. Aeth i lawr y grisiau i ofyn am ddiod o ddŵr.

“O diar,” meddai Mam.

“Fyddi di wedi blino fory,” rhybuddiodd Dad.

Caeodd Nain ei llyfr. Ac edrychodd Taid yn flin dros ei sbectol.

Amser brecwast yn y bore taflodd Arth ei uwd ar y llawr.
“Bobol bach!” meddai Nain.
“Brensiach annwyl!” meddai Dad a Mam.

“Dwi’n teimlo braidd yn biwis,” chwyrnodd Arth.

Cariodd Mam Arth yn ei breichiau allan i'r ardd…

a’i roi ar y siglen i edrych fyddai gwell hwyl arno. Ond dyna Arth yn cael sterics, yn syrthio wysg ei gefn ac yn taro’i ben.
“Hen siglen hurt!” meddai a dechrau beichio crio.

“Gad imi rwbio dy ben di’n well,” meddai Mam.
“Gadewch lonydd imi!” sgrechiodd Arth.
A dyna wnaeth hi.

Wedi i Mam fynd, cydiodd Arth mewn ffon hir a dechrau dyrnu'r siglen yn galed, galed.

Sôn am fod yn flin ac yn groes!

Roedd Arth yn gweld Taid a Nain yn gwylio drwy'r ffenest.

Tynnodd ei dafod arnyn nhw.

“Eisio chwip din iawn mae o,” meddai Taid.

“Ie,” cytunodd Nain.

“Helo, Arth!” meddai’r moch o’r drws nesa. “Dyma ein ffrind newydd ni, Gafr.”

“Wfft iddo fo!” chwyrnodd Arth.

“Rydan ni’n mynd at yr afon i chwarae. ’Tisio dod efo ni?”

“Nac ydw. ’Dach chi ddim yn chwarae’n iawn,” atebodd Arth yn gas.

“Dydi o ddim yn glên iawn, nac ydi?” meddai Gafr. “Well gen i hebddo fo.”

“A ninnau,” meddai’r moch.

Bu Arth yn rhyw chwarae tipyn gan gicio cerrig a chwyrnu.
Daeth pry i hedfan o amgylch ei drwyn.

"Cer o'ma!" sgrechiodd yn flin ac yn groes.

Roedd Taid wrthi'n gweithio yn yr ardd lysiau. Chwarddodd wrth weld Arth wedi gwylltio gymaint.

"Paid â bod mor biwis wir!" galwodd arno.

A wyddost ti be wnaeth Arth?

Rhedodd at Taid a’i gicio yn ei goes!
“Awtsh!” gwaeddodd Taid wrth syrthio ar wastad ei gefn.

Rhuthrodd Dad allan o'i go'n las. Cydiodd yng nghlust Arth a mynd â fo i'r llofft. Cafodd chwip din iawn.

"'Dan ni wedi cael llond bol ar dy dymer ddrwg," meddai.

Bu Arth wrthi'n cicio ac yn strancio, yn sgrechian ac yn crio nes roedd ei wddw'n brifo a'i lygaid yn llosgi. Bu'n tynnu wynebau hyll, hyll. Ond doedd hynny'n fawr o hwyl a neb yno i'w gweld nhw.

Ymhen sbel daeth Mam â diod o lefrith a bisgeden i Arth. Tu allan roedd gwenyn yn mwmian yn gysglyd braf.

"O! Dwi wedi blino!" ochneidiodd Arth cyn bo hir.

Caeodd Mam y llenni. Mewn dau chwinc roedd Arth yn cysgu'n drwm.

Cysgodd am hir, hir iawn. Pan ddeffrodd roedd o'n wên i gyd
… am y tro cyntaf y diwrnod hwnnw.

"Diolch yn fawr iawn," meddai'n gwrtais tu hwnt gan fwyta pob tamaid pan roddodd Mam ei fwyd iddo.

Wedi llyfu ei blât yn lân bu'n meddwl am yr holl bethau drwg a wnaeth yn y bore.

"Mae'n ddrwg gen i fod yn flin ac yn groes," meddai.

Yna aeth at ei ffrindiau i lawr wrth yr afon. “Ga i chwarae hefyd?” gofynnodd.

“Cei, ond mae’n rhaid iti addo peidio bod yn biwis ac yn gas,” meddai Mochyn.

“Dwi’n addo,” meddai Arth.

A bu’n Arth bach clên drwy gydol y pnawn.

Cyhoeddwyd gyntaf ym Mhrydain 1987 gan Hutchinson Children's Books,
gwasgnod o eiddo Random Century Cyf, Llundain
dan y teitl *Bad Mood Bear*.


Cyhoeddwyd yn Gymraeg gan Wasg y Dref Wen,
28 Ffordd yr Eglwys, Yr Eglwys Newydd, Caerdydd CF4 2EA
Ffôn 01222 617860.

Argraffwyd yn China.

Dyma rai llyfrau lliwgar clawr meddal o'r

DREF WEN

ichi eu mwynhau . . .

STORÏAU

Y Ci Bach Newydd *Laurence a Catherine Anholt*
Y Dyn Eira *Raymond Briggs*
Y Lindysyn Llwglyd Iawn *Eric Carle*
Arth Hen *Jane Hissey*
Eira Mawr *Jane Hissey*
Pen-blwydd Ianto *Mick Inkpen*
Y Ci Mwya Ufudd yn y Byd *Anita Jeram*
Eira Cyntaf *Kim Lewis*
Ffred, Ci'r Fferm *Tony Maddox*
Bore Da, Broch Bach *Ron Maris*
Twm Chwe Chinio *Inga Moore*
Beth Nesaf? *Jill Murphy*
Pum Munud o Lonydd *Jill Murphy*
Heddlu Cwm Cadno *Graham Oakley*
Perfformiad Anhygoel Gari Mochyn *Mary Rayner*
Cwningen Fach Ffw *Michael Rosen / Arthur Robins*
Wil y Smyglwr *John Ryan*
Wyddost ti beth wnaeth Taid? *Brian Smith / Rachel Pank*

**Gwasg y Dref Wen, 28 Ffordd Yr Eglwys, Yr Eglwys Newydd, Caerdydd CF4 2EA Ffôn 01222 617860**